APPRENTIS LECTEURS

L'AMIE DE GASTON

Charnan Simon

Illustrations de Gary Bialke

Texte français de Louise Binette

Éditions
SCHOLASTIC

Pour ma mère et mon père
(qui m'ont offert Bootsie et Cookie), avec amour,
et à Lucy Wackman et la chatte Mabel
— C.S.

Pour Jonesy, qui me laisse encore croire, parfois,
que c'est moi le chef
— G.B.

Catalogage avant publication de Bibliothèque
et Archives Canada

Simon, Charnan
L'amie de Gaston / Charnan Simon;
illustrations de Gary Bialke;
texte français de Louise Binette.

(Apprentis lecteurs)
Traduction de : Sam's Pet.
Niveau d'intérêt selon l'âge : Pour enfants de 3 à 6 ans.
ISBN 0-439-94193-8

I. Binette, Louise II. Bialke, Gary III. Titre.
IV. Collection.

PZ23.S545 Ami 2006 j813'.54 C2006-903218-1

Édition publiée par les Éditions Scholastic,
604, rue King Ouest, Toronto (Ontario) M5V 1E1.

5 4 3 2 1 Imprimé au Canada 06 07 08 09

Annie et Gaston ont une nouvelle amie.

GASTON

Cannelle est minuscule,

adorable

et féroce.

Cannelle ne veut pas partager
le repas de Gaston,

GASTON
CANNELLE

ni ses jouets,

ni son lit.

CHAMBRE
D'ANNIE

À côté de Cannelle,
Gaston se sent gros et bête.

Un jour, Brutus vient voler l'os de Gaston.

Gaston laisse faire Brutus.

Mais pas Cannelle.

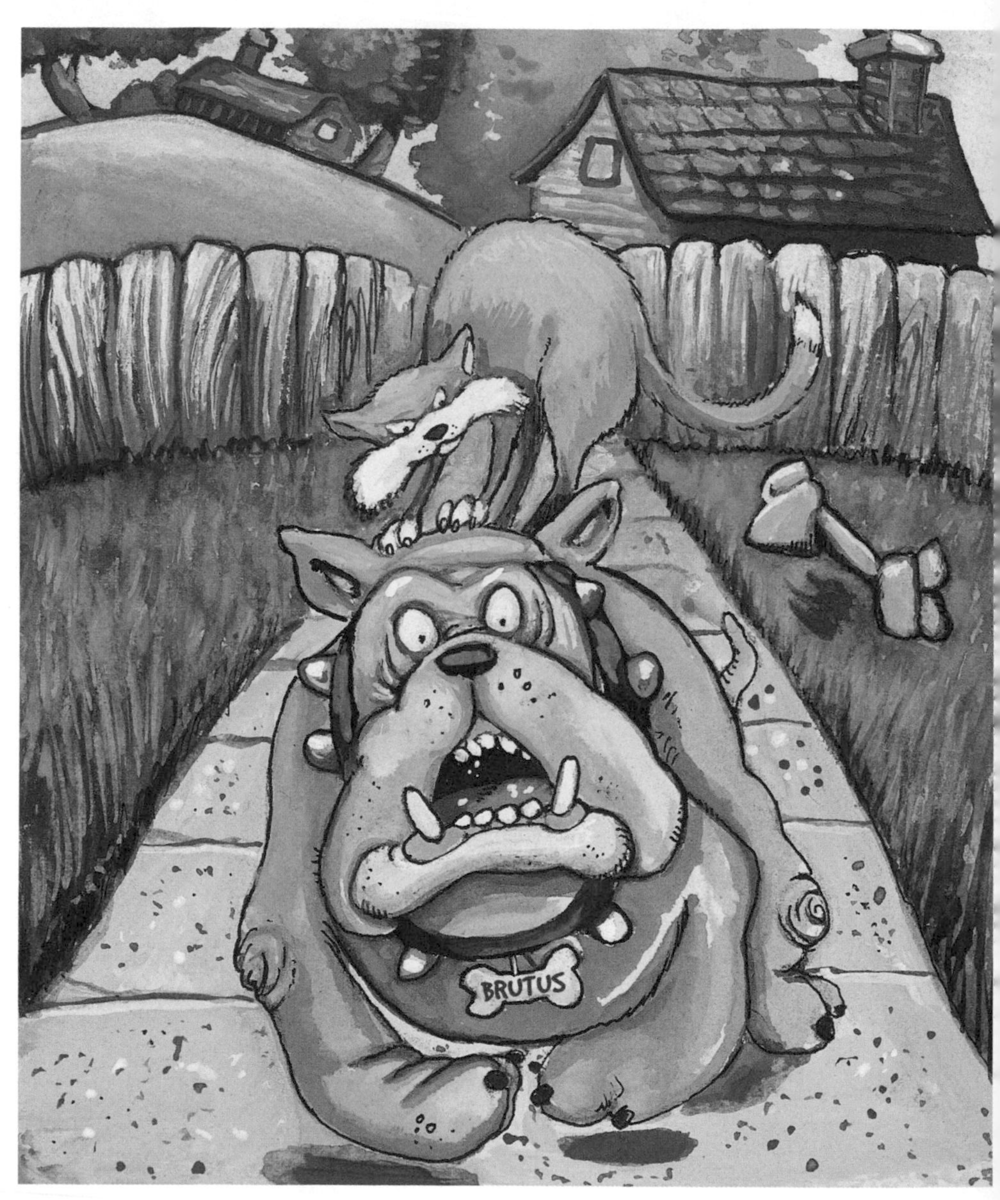
BRUTUS

Elle s'occupe d'abord de Brutus.

Puis elle s'occupe de Gaston.

Maintenant, Cannelle aime partager avec Gaston.

Il est si mignon!

LISTE DE MOTS

à
adorable
aime
amie
Annie
avec
bête
Brutus
Cannelle
coin
côté
d'abord
de
du
elle
est
et
faire
féroce
Gaston
gros
il
jouets
jour
la
laisse
le
lit
maintenant
mais
mignon
minuscule
ne
ni
nouvelle
occupe
ont
os
partager
pas
puis
repas
se
sent
ses
si
son
un
une
veut
vient
voler